# 가족이 되는 방법

부록

글 * 그림 모주

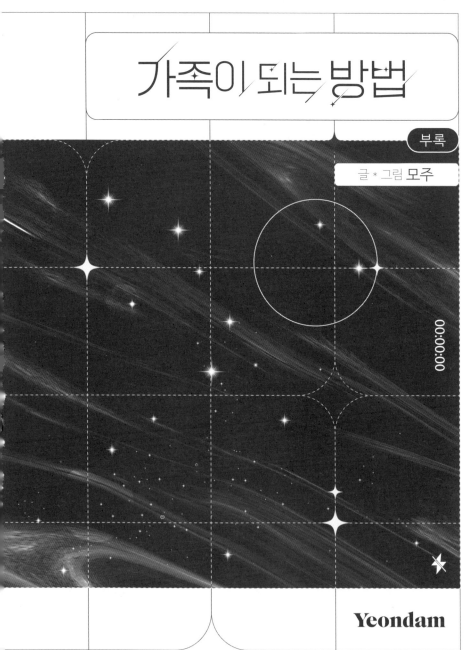

00:00:00

**Yeondam**

## 신도연

| | |
|---|---|
| **생일** | 7월 10일 |
| **혈액형** | A형 |
| **키** | 171cm |
| **MBTI** | ISTJ |
| **키워드** | 발랄함, 단순 명쾌, 친근함, 귀여움 |

### 테마송 리스트

· 영화 UP OST - married life    · 김광진 - 편지

· 이소라 - 바람이 부네요    · hey - Je T'aime

· Schumann - Kindrszenen Op. 15 No. 7 'Traumerei'

# 서은하

| | |
|---|---|
| **생일** | 9월 1일 |
| **혈액형** | O형 |
| **키** | 186cm |
| **MBTI** | ESFJ |
| **키워드** | 차분함, 성숙함, 눈물 많음, 잘생김 |

## 테마송 리스트

· 영화 올드보이 OST - The Last Waltz   · bjork - scary

· Beethoven - Piano Sonata No. 8 in C Minor, Op. 13
'Pathetique' : ll. Adagio cantavile

· Erik Satie - Gymnopedie No. 1

# 커플 문답

### 1 내가 좋아하는 스킨십은?

**도연**

허그랑 키스? 먼저 스킨십을 하는 게 왠지 어색해서 잘하지 못하는 편인데, 늘 은하가 먼저 해줘서 좋아요.

---

**은하**

형이랑 하는 건 다 좋아요….
음, 형이 말하기를 저는 키스를 제일 많이 한다고 하네요.

### 2 내가 좋아하는 데이트 유형은?

**도연**

놀거리가 많은 게 좋아요. 놀이공원이나 여행이나 쇼핑이나….

---

**은하**

형이랑 같이 있을 수만 있다면 무엇이든 좋아요.

### 3 애인과 내가 잘 맞는 부분은?

**도연**

은하가 늘 저에게 맞춰줘서… 안 맞는다고 생각한 적이 없어요. 그런데 그게 늘 걱정되기도 해요. 참고 있는 건 아닌가 하고요.

---

**은하**

잘 맞는… 부분이요?
그냥 다 좋은데요. 맞고 안 맞고 그런 건 생각해본 적 없어요.

### 4 애인이 좋아하는 음식 3가지는?

**도연**

은하는 다 잘 먹는데, 아이스크림을 좋아하는 것 같아요.

---

**은하**

형은… 매운 음식을 좋아해요. 닭갈비라든가, 떡볶이라든가. 콩나물국도 칼칼한 걸 좋아하고요. 디저트는 아이스크림이랑 케이크를 좋아해요. 치킨은 양념 치킨이나 마늘 치킨을 먹고, 중국집에선 짬뽕을 시켜 먹고, 피자는 도우가 얇은 걸 좋아하고요. 탕수육은…

### 5 애인이 고쳤으면 하는 습관?

**도연**

좀 더 자기 이야기를 많이 해줬으면 좋겠어요. 저에게 하고 싶은 말도 거리낌 없이 했으면 하는데 속마음을 잘 안 털어놓아요.

---

**은하**

그런 거 없어요.

### 6 나만 아는 애인의 모습은?

**도연**

음… 제가 아는 은하의 대부분을 남들은 모르지 않을까…. 아르바이트하는 은하를 멀리서 본 일이 있었는데 거의 웃지를 않더라고요.

---

**은하**

…꼭 말해야 하나요? 알려주고 싶지 않은데요.

### 7 애인의 가장 마음에 드는 점은?

**도연**

음… 다 좋아요! 잘생겼고, 목소리도 좋고, 다정하잖아요. 그리고 귀엽고요.

---

**은하**

…아까부터 자꾸 비슷한 질문을 하시는데, 저는 그냥 형이 다 좋아요. 굳이 그 안에서 선택하라고 하지 마세요.

### 8 애인이 가장 보고 싶을 때는?

**도연**

음… 맛있는 걸 먹을 때, 좋은 걸 봤을 때, 재밌는 걸 했을 때 등등. 은하와 함께해보고 싶은 일들이 생겼을 때요.

---

**은하**

고르라고 하지 말라니까요.
항상이요. 항상 보고 싶어요.

### 9 애인은 나에게 어떤 의미?

**도연**

아주 소중하고… 지켜주고 싶고… 함께하고 싶고…. 음… 표현하기 어렵네요! 힘든 것도 기쁜 것도 함께 나눌 수 있었으면 좋겠어요.

---

**은하**

도연이 형은 그냥 도연이 형이에요. 그저 그 자체만으로 감사해요. 형을 만나지 못했다면 저는 살아야 하는 이유를 모르지 않았을까요.

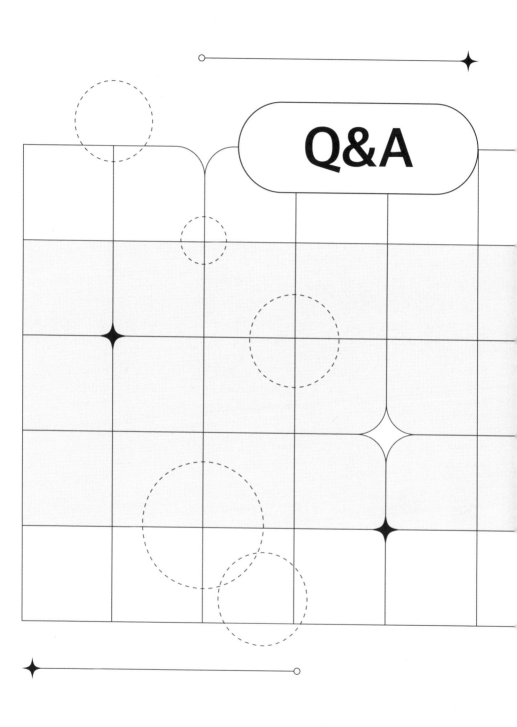

# Q&A

## Q.1

도연이와 은하가 자주 시키는
카페 음료는 무엇인가요?

도연이는 신상 메뉴를 주로 고르지만, 끌리는 게 없다면 아메리카노를 자
주 마셔요.
은하는 카페를 잘 안 가지만, 간다면 저렴한 아메리카노나 에스프레소를
마셔요.

## Q.2

도연이와 은하가 싸우면 누가
먼저 사과하나요?

은하입니다. 은하는 자기가 뭔가 잘못했다 싶으면 이유를 모르더라도 바로
사과부터 합니다. 그래서 도연이는 무엇 때문인지도 모르고 사과 받을 때
가 많아요. 또, 도연이도 먼저 사과하는 편인데 그럴 틈이 없고요.

## Q.3

도연이와 은하의 주량과
술주정은 무엇인가요?

도연이는 휘청거리면서 주변 사람에게 자꾸 기대다가 금방 잠에 듭니다. 이
런 술주정 때문에 트러블에 말린 적도 있어서 과음하지 않도록 조심하는
편이에요. 주량은 소주 두 병 정도.
은하는 다른 사람이 알기 힘든, 황당한 이유로 서럽게 웁니다. (ex. 빨간 머리
가 아니라서, 돈을 가방에 넣어서, 새한테 풀이 묻어서 등) 주량은 상당히 세지만 다
른 사람과 술을 마실 일이 없어서 주정을 부려본 적은 없어요.

## Q.4

도연이가 먼저 말하지 않았다면
은하는 계속 참았을까요?

욕망보다 도연이에게 미움을 받으면 안 된다는 필사적인 마음이 더 커서
계속 참을 것 같습니다. 모순적이지만 마음도 욕망도 크기 때문에 오히려
더 참을 수 있는 게 아닐까 싶어요.

## Q.5

도연이와 은하 중 누가 먼저
잠드나요?

늘 도연이가 지쳐서 먼저 뻗습니다. 은하는 도연이가 잠들면 주변을 치우
고 몸을 닦아주는 등 정리를 하고 잠든 걸 지켜보다가 자고요. 둘이 같이
있지 않을 때도 도연이가 먼저 잠드는 일이 많습니다. 은하는 야간에 아르
바이트 할 때가 많고, 그냥도 잠을 잘 못 자는 편거든요.

## Q.6

은하는 자기가 잘 생긴 걸
알고 있나요?

알고 있지만 달가워하지는 않습니다. 지금까지 외모로 받았던 관심은 원치 않는 주목만 받게 해서 좋은 일이 생기지 않았거든요. 하지만 도연이가 자기 외모에 약하다는 걸 알게 된 후로는 종종 미인계를 쓰기도 하는데요. 이건 도연이가 조금이라도 자기를 좋아해줬으면 하는 마음에서랍니다. 아무것도 내세울 것 없었던 은하에게 처음으로 외모라는 무기가 쥐어진 것이거든요. 미인계가 통한다는 걸 어렴풋이 알게 된 건 재회한 지 얼마 안 된 후였지만, 그때는 확신을 가질 수 없었고 처음으로 자고 난 이후 확신을 가지게 되어 적극적으로 사용하게 됩니다.

(워낙 잘생겨서 무심코 한 행동이 도연이에게는 미인계처럼 느껴지기도 하죠.)

원하는 상대에게서 원하는 반응을 받아낼 수 있는 게 처음이라 약간 들떠 있는데 이러다가도 곧잘 자존감이 낮아지곤 합니다. 자신의 외모가 변하거나 도연이가 자신의 외모에 질릴 수도 있다는 생각에 불안해합니다.

게다가 행동으로 인해 도연이가 질렸을 때 외모가 방패가 되어주진 않을 거라고 생각해요. 그래서 은하는 본인이 충분히 사랑받고 있다고 생각하는, 마음을 놓을 수 있는 상황에서만 미인계를 쓸 것 같아요.

오히려 정말 필사적인 순간에선 이런 모습을 형에게 보이고 싶지 않아 얼굴을 보이려 하지 않을것 같아요.

## Q.7

도연이와 은하 중 누가 더
인기가 많나요?

은하는 의외로 인기가 없습니다. 조용하기도 하지만 다소 어두운 성격이어서 깊게 다가오는 사람이 없어요. 반대로 도연이는 생각보다 인기가 많습니다. 둥글둥글하고 선도 잘 지키고 놀리면 금세 발끈하는 등 함께 있으면 즐거운 아이거든요. 물론 본인은 잘 모릅니다.

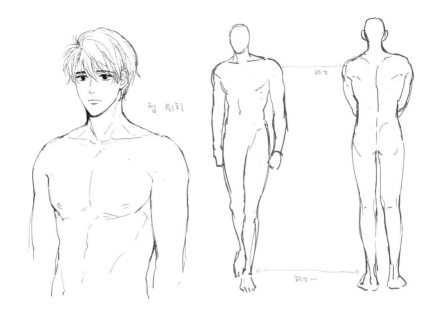

## Q.8
### 은하의 점은 몸 어디에 있나요?

은하의 점은 신체 왼쪽에 몰려 있습니다. 개수가 꽤 되는데 건강에 이상이 있는 건 아닙니다. 점은 은하라는 이름의 유래이기도 합니다. 은하는 몸의 점을 좋아하지 않았는데요. 은하가 있었던 보육원의 원장에게서 곧잘 점박이라는 소리를 들으며 멸시를 받았고, 아이들도 어른들을 따라 은하를 괴롭혔기 때문입니다. 그래서 입양된 후에 양부모님께 새 이름이 갖고 싶다고 부탁을 하게 되는데요. 은하가 점을 신경 쓰는 걸 알고 있던 양부모님은 그게 도리어 밤하늘처럼 예쁘고 곱다며 은하라는 이름을 지어주셨답니다. 덕분에 은하는 점을 좋아할 수 있게 되었습니다.

## Q.9
### 점과 관련된 에피소드가 있을까요?

도연이가 은하의 몸에 있는 점에 키스를 해주는 버릇이 생기면서 은하는 자신의 점을 더욱 좋아하게 되었고 요즘은 이용도 합니다. 점 위에 뽀뽀해 달라고 조르는 식이죠. 도연이는 항상 이마에 있는 점에 뽀뽀를 하는데, 그럴 때마다 은하는 또 해달라는 말을 반복합니다. 그러면 도연이는 눈, 다음에는 뺨, 귀, 목덜미, 쇄골, 가슴순으로 점점 내려간답니다. 덕분에 은하는 점이 많은 걸 장점으로 아주 잘 써먹게 되었습니다.

## Q.10

도연이의 절친!
성훈이에 대해 궁금합니다.

**하성훈 | 2월 2일생 | 183cm | AB형**

도연이와 같은 대학, 같은 과에 재학 중입니다. 성훈이는 집에서 혼자 드라마나 영화를 보면서 가볍게 맥주 마시는 걸 즐깁니다. 장르는 가리지 않고 잘 보는데 다큐멘터리 계열을 가장 좋아하고, 안주는 김부각을 가장 좋아합니다.

도연이와 알게 된 건 고등학교 1학년 때입니다. 둘은 다른 반이었지만 당시 도연이의 짝꿍과 성훈이가 함께 밥을 먹던 친구들이어서 자연스럽게 도연이와도 함께 하게 되었습니다.
성훈이도 자기 반에서 친구를 데려와서 네 명이서 밥을 먹는 고정 친구가 되고, 다함께 배드민턴 동아리에도 들어가게 되죠. 이 동아리 친구들과도 사이가 막역해지면서 고등학교 3년 내내 친하게 지내고 대학 졸업 후에도 가끔씩 모여서 놀고 있습니다. (이 친구들은 40화에 등장하죠~.)

성훈이와 도연이가 소위 '절친'이 된 건 고등학교 2학년 때인데요. 2학년 때는 밥 친구들은 물론 동아리 친구들도 모두 다른 반이 되고, 성훈이와 도연이만 같은 반이 되었거든요.
그래서 자연스레 붙어 다니게 되었는데, 생각보다 잘 맞아서 이 때부터 서로 가장 친한 친구가 됩니다. 하지만 진학한 대학교와 과가 같은 건 우연일뿐, 일부러 노린 것은 아니랍니다.
입대한 시기도 비슷하고, 복학 시기도 비슷하고, 성적도 비슷해서 어쩌다보니 반경이 겹치는 인생을 살고 있긴 하지만 정말 노리지 않았답니다!

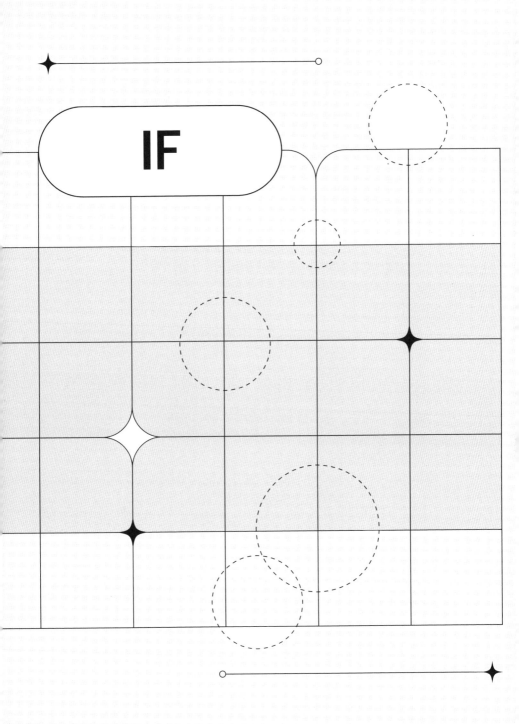

**도연이와 은하의**
**나이가 반대였다면?**

일단은 은하가 고등학교를 졸업하면서 먼저 도연이 곁을 떠나게 될 것 같습니다. 은하는 당연히 떠나고 싶지 않지만 그건 도연이가 싫어할 것 같아 대학교 근처에 자취방을 얻을 것 같아요. 그리고 도연이가 부모님이 이혼하는 과정을 지켜보는 동안 은하는 군 복무를 마치고서야 두 분이 이혼하셨다는 것을 알게 되겠죠. 아버지와 잠시 같이 살다가 아르바이트를 다녀왔을 때 집안의 짐이 모두 사라지고 다른 사람이 집을 계약했다는 것도 알게 되는 등 사건은 비슷하지만 디테일이 달라질 듯 해요.

이야기는 도연이가 군대를 다녀온 이후에 두 사람이 재회하면서 본격적으로 시작되지 않을까 싶습니다. 그동안 은하는 도연이가 다니는 학교 근처에서 아르바이트를 하면서 돈을 모으며 월세를 빌릴 수 있게 되지 않을까요. 성격은 크게 달라지지 않을 것 같습니다. 호칭만 바뀌는 정도? 은하는 여전히 눈물이 많을 거고, 도연이는 은하가 매달릴 때마다 한숨 쉬며 받아줄 것 같습니다. 그렇지만 도연이가 부모의 이혼을 옆에서 직접 겪으면서 은하와는 이뤄질 수 없다는 생각이 커져서 더욱 거세게 은하를 거부할 것 같습니다.

**도연이와 은하의**
**몸이 바뀐다면?**

은하는 한참 동안 거울을 보다가 얼굴을 만져볼 것 같습니다. 도연이는 그런 은하를 보면서 거울 앞에서 끌어낼 것 같고요. 둘이 앉아서 이게 어떻게 된 일인지 원래대로 돌아갈 수 있는지를 진지하게 이야기 나누는데 대뜸 은하가 도연이를 걱정할 것 같아요. 그 몸은 괜찮냐, 이상하진 않냐, 불편하진 않냐 등등 물어보는데 도연이는 힘이 세진 게 신기하다는 대답을 할 것 같아요.

그리고 화장실에 갔을 때! 은하는 또 거울을 보면서 몰래 이런저런 거 해볼 것 같고 도연이는 얼굴에 감탄하고 크기(?)에 감탄할 듯합니다. 바뀐 상태에서 하지는 않을 것 같아요. 은하도 도연이도 자기 모습한테는 흥미가 없어서 원래 모습으로 돌아가는 것에 힘을 쏟을 것 같습니다. 둘 중 한 명이 무의식 중에 거울을 보고 있으면 다른 한 명이 끌어낼 것 같아요. 자기 자신에게 질투하게 되는 그런 상황?

**도연이와 은하 중 한 명이
어려진다면?**

도연이 어려질 경우에는… 은하는 일단 침착하려 합니다. 어떻게 이런 일이 발생했는지 어떻게 하면 원래대로 돌아갈 수 있는지 건강에 문제는 없는지 등을 체크할 것 같습니다. 도연이는 은하가 너무 침착해서 덩달아 침착해지고요. 그런데 은하는 겉으로만 침착했지, 실제론 전혀 아니어서 점점 행동이 이상해질 것 같아요. 갑자기 도연이의 머리를 쓰다듬는다거나 끌어안는다거나 도연이가 걷는 걸 멍하니 보다가 문에 얼굴을 부딪힌다거나. 형은 당황스러울 텐데 자기는 이런 생각만 하다니! 하면서 필사적으로 자제하려 하지만 눈앞에 보이는 도연이의 귀여운 모습에 자꾸만 망가집니다. 보다 못한 도연이가 괜찮으니까 그냥 하고 싶은 대로 하라고 말하면 그때부턴 멍하니 바라보다가 뺨을 만져보거나 끌어안아 보거나 계속 사진을 찍거나 별안간 우는 등 더 크게 망가질 것 같습니다. 도연이는 그런 은하를 귀엽다고 생각하고…. 무한 반복.

은하가 어려질 경우에는… 도연이는 깜짝 놀라고 은하는 절망합니다. 자신이 가장 싫었던 시절로 돌아왔기 때문에요. 그 시절의 모습을 도연이에게 보여주기 싫은 은하는 어딘가로 숨고 싶다는 생각을 합니다. 도연이는 그것도 모르고 그저 어린 은하를 귀여워할 것 같고요. 물론 갑자기 어려졌다는 사실이 당황스럽고 원래대로 돌아갈 방법을 찾으려고도 하지만, 어린 은하가 귀여워서 자기도 모르게 자꾸 사진도 찍고 끌어안아도 보고. 머리도 빗겨주고 맛있는 것도 주고 낮잠도 재워주는 등 자제하지 못하고 실컷 예뻐할 것 같습니다. 은하는 도연이의 그런 행동에 유년시절을 위로받는 기분이 듭니다.

**둘이 이어지지 않은 세계의
은하가 도연이를 처음 만난
순간으로 회귀하게 된다면?**

은하는 갑자기 과거로 돌아온 상황이라 무척 당황할 것 같습니다. 티는 안 나지만요. 또, 오랜만에 보는 어린 도연이에게서 눈을 못 뗄 것 같아요. 식사는 하는 둥 마는 둥 이야기는 듣는 둥 마는 둥 상황을 파악하려고 노력하겠죠. 부모님은 은하가 긴장을 많이 했다고 생각하고 가볍게 넘길 것 같습니다. (도연이는 은하의 시선 때문에 체하지 않았을까.) 그 후 도연이가 화장실에 갈 때 따라가겠죠? 은하도 화장실에 온 걸 본 도연이가 어색하게 인사를 건넬 때도 도연이를 뚫어지게 보고 있을 것 같아요. 결국 도연이가 왜 그렇게 내 얼굴을 봐? 하고 물어요. 은하는 대답 없이 손을 들어 천천히 뺨도 만져보고 손도 만져보고 하다가 대뜸 끌어안을 것 같아요. 도연이 어깨에 얼굴을 묻고 어떻게 이런 일이 일어난 건지, 혹시 자신이 죽은 건지, 만약 죽어서 꾸는 꿈이라면 깨지 않았으면… 하는 갖은 생각을 하면서 한참을 끌어안고 있을 것 같습니다.

너무 오래 안겨 있어서 당황한 도연이가 괜찮냐고, 어디 아픈 거 아니냐고 할 때쯤에야 자기가 울고 있었다는 걸 알 것 같아요. 은하는 그제서야 조금 떨어져서 울던 얼굴로 웃으면서 잘 부탁한다고 해요. 그리고 다시 시작되는 새로 생긴 동생이 나에게 너무 잘해준다 전개.

세자 도연과
호위무사 은하의
아이 컨택!

선비 도연과
무관 은하의
송편 키스!

이건 혹시…
주인님이 되는 방법?!

두근
두근

이…,이제
어떡하지…

울쩍 울쩍

할짝

← 아플까봐
제대로
못 깨뭄

먹는거야
마는거야

미라 도연과
뱀파이어 은하!

if 도연이와 은하 중 한 명이 기억상실이 된다면?

두 사람 모두 재회하기 전으로 돌아간다고 생각해볼게요.

도연이가 기억상실이 된다면… 은하는 하루 종일 곁에 붙어서 어디 아픈 곳은 없는지 필요한 건 없는지 궁금한 건 없는지 등을 물으며 주변을 맴돌겠죠. 도연이가 은하와의 관계를 궁금해할 때마다 슬픈 표정을 짓는 은하의 모습에 왠지 죄짓는 기분이 들어 도연이는 확실하게 물어보지 못할 것 같습니다. 은하는 기억이 없는 도연이가 어떤 반응을 보일지 두려워서, 혹시 자기를 싫어할까 봐 선뜻 사귀는 사이라고 말하지 못합니다. 그렇게 며칠 지내면서 은하의 행동을 보고서야 도연이도 최소한 은하가 자신을 좋아한다는 것 정도는 알게 될 것 같아요. 그리고 혼란스러워합니다. 대체 그동안 무슨 일이 있었길래 얘가 나한테 죽고 못 살 듯이 행동하는 걸까. 그냥 좋아하는 정도가 아니라 거의 모시는 수준이라는 생각을 하면서요. 그런데 또 밝히는 건 꺼려 하는 걸로 봐서는 일방적인 짝사랑이었을까? 하는 생각도 해봤다가… 역시 애인 사이까지는 쉽게 생각하기 어려울 것 같아요. 그러다 생각이 너무 나가서 결국 직접 물어보게 됩니다. 혹시 나한테 약점 같은 거라도 잡혔냐고요. 도연이 질문에 은하는 당황하며 왜 그런 생각 했냐고 물어볼 것 같아요. 도연이는 네가 나한테 지나치게 저자세인 것 같아서. 왜 그렇게 나한테 잘해주는지 모르겠는데, 너는 말을 안 해주니까 말 못 할 뭔가가 있는 건가 싶고… 와 같은 말을 합니다. 은하는 한참을 가만히 생각하다가 겨우 대답할 것 같아요. 우리는…… 내가… 형을 너무 사랑해서… 형이 그걸 받아줬어…. 그런 사이야. 숨겨왔던 사실을 겨우겨우 내뱉고는 은하는 도연이를 보지 않고 바로 방으로 들어가 버립니다. 도연이는 무척 당황하는데 첫 번째로 은하가 하는 말이 꼭 자기가 매달려서 도연이가 억지로 사귀어 주었다는 듯한 내용이었고, 두 번째로 대답이나 반응을 보고 싶지 않다는 듯이 바로 방으로 들어가 버렸기 때문입니다. 이쯤 되니 도연이는 은하에게 납치 감금이라도 당하고 있나 싶어질 것 같아요. 게다가 그 후에 은하가 도연이를 피해 다니기까지 해서 도연이의 혼란은 더욱 커질 것 같습니다. 하지만 은하가 정말 납치 감금 같은 것을 하는 사람이었다면 더 뻔뻔하게 거짓말을 했을 거란 생각도 들죠.

그래서 피하는 은하를 겨우 붙잡아다가 물을 것 같습니다. 내가 너를 싫어했어? 네가 날 일방적으로 붙잡아둔… 우리 그런 사이야? 은하는 망설이다가 잘 모르겠다고 답합니다. 형이 왜 나를 좋아한다고 했는지 자기도 모르겠다고요. 그러고는 울기 시작해서 도연이가 당황하며 달래줍니다. 우리가 사귀는 사이였다면 억지로 너랑 사귀지는 않았을 거다, 나도 너를 좋아해서 그랬을 거다, 싫어했을 리가 없다, 사실 지금도 네가 싫지 않다… 같은 말들을 하면서요. 사실 그동안 도연이는 내심 은하가 정말 잘생겼다는 생각을 여러 번 했거든요. 대체 어떻게 저런 애랑 그런 사이가 된거지? 하는 생각도…. 아무튼 도연이의 대답에 은하가 울던 눈으로 바라보다가 그럼 키스해도 되냐고 대뜸 물어봅니다. 도연이가 당황한 나머지 그렇다고 대뜸 대답한 덕에 그 후로 아주… 뜨거운 시간을 보내게 되고……. 은하에게 휩쓸리는 시간을 보내며 천천히 기억을 되찾습니다. 도연이의 기억이 전부 돌아오면 은하가 기억도 없는 사람에게 미안했다며 석고대죄하지만, 도연이는 그것보다는 내가 너를 좋아하는 걸 왜 의심하냐며 크게 화를 냅니다.

내가 억지로 너랑 사귀었던 것 같냐고, 내 마음을 그렇게 믿지 못하냐면서요. 은하는 도연이가 과거에 휴대폰 몰래 만진 걸 들켰을 때 이후로 이렇게 화내는 걸 처음 봐서 당황해하며 계속 사과합니다. 도연이는 화내면서 이제부터 하루에 세 번씩 좋아하는 이유를 말해줄 거라고 하고요. 은하는 그 말을 듣고 어안이 벙벙해집니다. 분명 혼나고 있는데 상을 받는 것 같아 기쁜 마음이 들어 또 펑펑 울고…. 도연이는 홧김에 그런 약속을 한걸 금방 후회하게 되지만 어쨌든 하루에 세 번씩 꼭꼭 말해줄 것 같습니다.

은하가 기억상실이 된다면… 도연에 대한 기억을 잃은 은하는 무척 냉정해질 것 같습니다. 도연이는 그런 은하의 모습에 당황해서 아무것도 못 하게 되고요. 한편으로 처음 만났을 때 차가웠던 은하가 생각이 나기도 할 것 같습니다. 일단 기억이 없는 은하를 위해 천천히 주변 상황을 설명하는데요, 은하가 우리는 무슨 관계냐고 물으면 아무 말도 못 할 것 같아요. 이제는 형제도 아니고, 그렇다고 친구라고 하기도 이상하고, 아무것도 기억 못 하는 사람에게 다짜고짜 우리 사귀는 사이라고 말하기도 좀 그렇고…. 무엇보다 은하가 너무 냉랭해서 달가워할 것 같지 않아 보이겠죠. 그래서 그건 나중에 말해주겠다고 얼버무립니다. 은하는 더 이상 아무것도 묻지 않고 조용히 주변과 도연을 관찰하기 시작해요. 그렇게 며칠 동안 말없이 관찰만 하다가, 대뜸 우리 혹시 사귀는 사이인 거냐고 묻습니다. 도연은 당황해서 기억이 돌아왔냐고 묻지만 그건 아니라고, 답하겠죠. 관찰 결과 집안 곳곳에 있는 물건들이나 도연의 태도를 보고 추측했다고 합니다. 은하가 너무 빤히 쳐다보면서 말해서 도연은 왠지 이상한 기분이 듭니다. 꼭 옛날 그 놀이터에서 자신을 처음 본 듯한 그 얼굴 같다고 생각이 들 것 같아요. 은하는 그 후부터 도연에게 이런저런 질문을 하기 시작합니다. 나를 왜 좋아했어? 라든가, 내가 이상하지 않았어? 라든가, 왜 사귀었어? 라든가…. 우리가 잤냐는 그런 질문도 서슴지 않고 해서 도연을 당황하게 합니다. (잤냐는 질문에 망설이다가 응…이라고 대답했는데 은하가 아무 대답도 안 하고 대화가 종료되어 엄청 어색한 시간이 되고 말았습니다.)

그러다가 어느 날은 갑자기 안아봐도 되냐고 묻더니, 조심스레 끌어안고는 한참을 있다가 왜 잊어버렸을까… 하고 혼잣말을 하는데요. 도연은 문득 그 말이 너무 서러워서 울 것 같습니다. 그걸 은하가 바라보기만 하는 게 또 속상해서 울음을 그치지 못합니다. 도연이가 울 태세만 보여도 펄쩍 뛰면서 당황했던 사람이 지금은 그냥 아무것도 안 하고 바라보고만 있으니까요. 그렇게 한참을 울던 도연이가 울음을 그칠 때쯤 은하는 조용히 입을 맞춥니다. 도연이 조금 놀라서 혹시 기억이 돌아온 거냐고 물으면 은하는 그건 아니지만 그냥 하고 싶었다고 대답할 것 같습니다. 그런 은하의 표정을 보며 도연이는 왠지 같은 사람과 두 번 연애하는 기분이 든다는 생각을 했습니다. 그렇게 간질간질한 분위기로조금씩 사이가 진전되면서 은하는 천천히 기억을 되찾을 것 같아요. (기억이 돌아오면 울면서 미안하다고 석고대죄할 듯…) 그러고는 기억을 잃었어도 또다시 형을 좋아하게 되었다는 말을 해줘서 도연이를 울려요.

if <가족이 되는 방법>이 드라마라면?

서은하 | 29세 | 배우

아역 배우로 데뷔하여 꾸준하게 활동해서 필모가 매우 많습니다. 아역 때 찍은 영화가 대박이 났지만, 그 후로는 지지부진했는데요. 다행히 20대 중반에 찍은 드라마로 다시 유명세를 타며 아역 때의 이미지에서 탈피하게 됩니다.

아역 때 찍은 영화는 사극, 다시 유명해진 계기가 된 드라마는 의학 드라마였습니다. <가족이 되는 방법>은 본인이 맡았던 배역 중에서 제일 울보라고 합니다. 은하의 고등학생 시절 아역은 실제로 조카라서 많이 닮은 거래요.

신도연 | 25세 | 배우 (전 아이돌)

아이돌로 데뷔하여 3년 정도 활동하다가 그룹이 해체되면서 배우로 전향했습니다. (댄스를 주력으로 뒀고 가창은 보통?)

대선배인 은하와 <가족이 되는 방법>을 찍게 되어서 무척 영광이라고 합니다. 이 드라마가 두 번째로 맡게 된 주역이라서 찍으면서 많이 긴장했다고 해요. 도연의 고등학생 시절 아역은 따로 캐스팅 없이 본인이 소화했습니다.

<드라마> 오프레 1

<드라마> 오프레 2

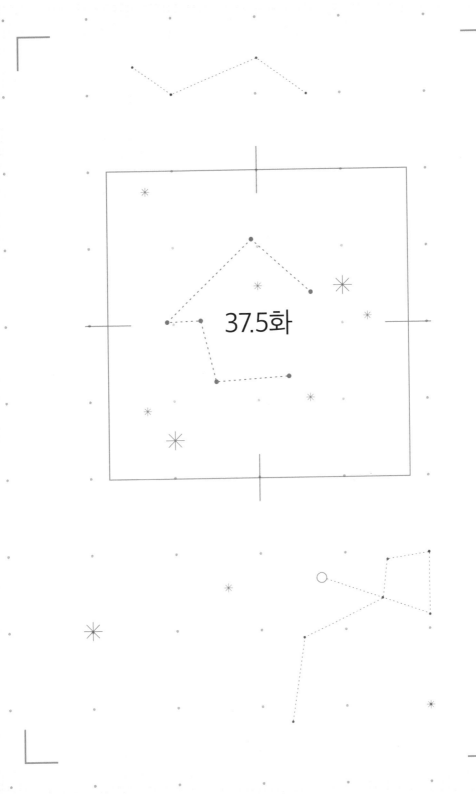

37.5화

혀엉…

나 힘들어.

제발 지금은 그런 말 하지 말아줘….

…와, 커진다.

조금만 천천히 하면 괜찮을 것 같아.

해보자… 응?

……

은하야?

형,

미안,

나,

…….

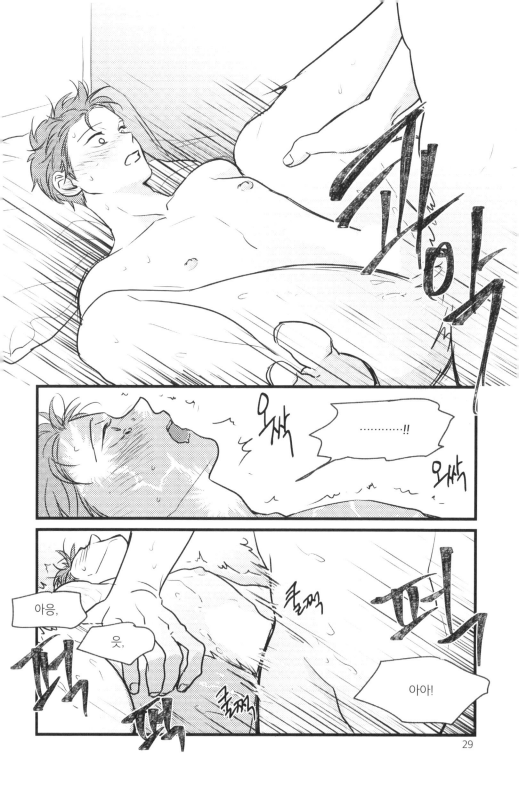

32

37.5화 End.

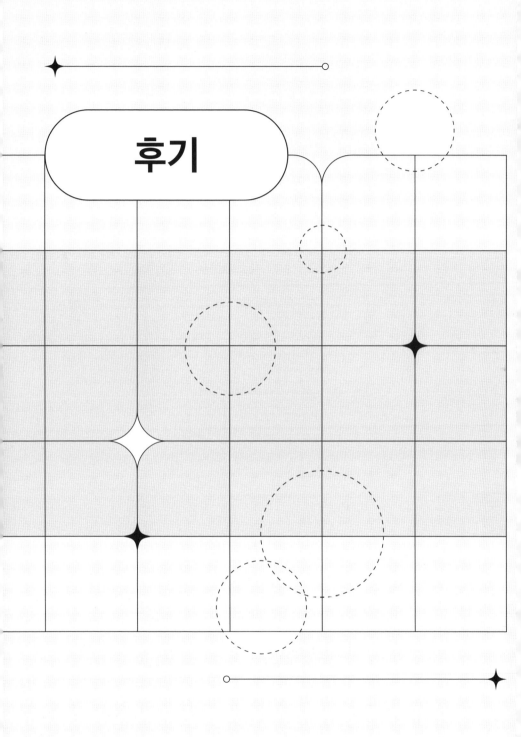

후기

안녕하세요! 모주입니다.
<가족이 되는 방법>
단행본을 구매해주셔서
정말 감사합니다.

솔직히…
제가 해냈다는 게
믿기지 않아요…….

단행본 기획안을
전달받은 건 1월…
그리고 저의 시즌2
복귀도 1월….

너무나도 자신이 없었지만
그래도 꼭 하고 싶었던 이유는,
소책자 외전 때문입니다.

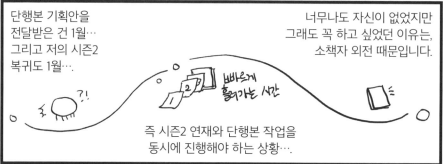

즉 시즌2 연재와 단행본 작업을
동시에 진행해야 하는 상황…

사실 처음에는 19세 이용가를
그릴 예정이 없었기 때문에

작가님 도대체 어느 부분에서 카카페에게 매력을 느끼신건지……. 왜 독점으로 묶이신건
지…… 꿈은 왜 생각을 안해보신건지………. 독자들 맘을 왜 자꾸 울리시는건지…….
왜 성인임에도 무쓸모로 만드시는건지…

완결판 소책자로
19세 이용가를 그릴 기회가 생겼다고 하니까
꼭 해야할 것 같았어요.

이 작품을 연재하면서,
과분할 정도로 넘치는
관심을 받았습니다.

그리고, 단행본 외에도
말씀드릴 소식이 많이 있으니
기대해 주세요!

그에 대한 보답으로,
재미있게 읽어주신
독자님께 즐거운 선물이
되어주기를 바라며 준비했어요.

끝으로,
이 책을 읽어주신 분들 모두
늘 행복하시기를 바라요.
감사합니다!

읽어 주셔서
감사합니다!
-모주-